Freddy Fiddler, d'Édimbourg, raconte cette histoire.
Y. M.

www.editionsmilan.com

© 2012 éditions Milan – 300, rue Léon-Joulin, 31101 Toulouse Cedex 9, France.
Droits de traduction et de reproduction réservés pour tous les pays.
Toute reproduction, même partielle, de cet ouvrage est interdite.
Une copie ou reproduction par quelque procédé que ce soit, photographie,
microfilm, bande magnétique, disque ou autre, constitue
une contrefaçon passible des peines prévues par la loi du 11 mars 1957
sur la protection des droits d'auteur.
Loi 49.956 du 16 juillet 1949 sur les publications destinées à la jeunesse.
ISBN : 978-2-7459-5375-9
Dépôt légal : 1er trimestre 2012
Imprimé en Chine

YVELINE MÉHAT — LAURE du FAŸ

LOUP, QUE FAIS-TU?

EN CE TEMPS-LÀ, LE LOUP VIVAIT AU BOIS.
CHAQUE FILLETTE ET CHAQUE MÈRE LE SAVAIENT.
OR, POUR ALLER CHEZ MÈRE-GRAND,
LA ROUTE TRAVERSAIT LE BOIS.
C'ÉTAIT COMME ÇA.

VOILÀ NOTRE HÉROÏNE, COQUETTE COQUINETTE.

AU BOUT DE SES BLONDES COUETTES, DE PETITS GRELOTS.

Digueling eling, cligueling ding !

SUR LE CHEMIN CHANTAIENT SES P'TITES CLOCHETTES.

—ME V'LÀ, GRAND MÉCHANT LOUP !

DEVANT UN TRONC ELLE S'ARRÊTE ET,
CAMPÉE LES POINGS SUR LES HANCHES, CLAME:
—SORS DE LÀ, JE T'AI VU!

LE LOUP, CAR C'ÉTAIT LUI,
EST TRÈS SURPRIS :
— MAIS COMMENT M'AS-TU VU ?

—TA QUEUE DÉPASSAIT DE L'ARBRE. LE MÉCHANT BOUT POILU DE TA MÉCHANTE QUEUE ! RÉPOND L'ENFANT, TRIOMPHANTE.

DÉPITÉ, L'ANIMAL FUIT.

SCHWIFFFF,
IL ÉTAIT LÀ...
PFUITT,
IL N'Y EST PLUS !

Digueling eling, cligueling ding !
TOUT AU LONG DU SENTIER LES BELLES FLEURS,
LES JOLIES TRESSES ! QUELQUES MIETTES DE GALETTE
POUR LES OISEAUX QUI PIAILLENT.
— MERCI MERCI !

— SORS DE LÀ, JE T'AI VU !

C'EST ENCORE LUI, L'ŒIL ROND.

—MAIS, J'ÉTAIS POURTANT BIEN CACHÉ.

—TES OREILLES DÉPASSAIENT. LE MÉCHANT BOUT
POINTU DE TES MÉCHANTES OREILLES!

SANS PRENDRE LE TEMPS
DE SE GRATTER LA TÊTE,
LE LOUP FILE DERECHEF
COMME UN DÉRATÉ.

SCHWIFFFF,
IL ÉTAIT LÀ...
PFUITT,
IL N'Y EST PLUS !

Digueling eling, cligueling ding !
—DANS MON PANIER, J'AI DE QUOI M'AMUSER.

— UNE MARELLE ? 1, 2... 4, 5, 6, 7, 8... CiEL !
LES NATTES VIREVOLTENT EN CADENCE.

CETTE FOIS, C'EST DEVANT UNE GROTTE HERBUE
ET MOUSSUE QU'ELLE POSE SON FARDEAU.
LES MAINS EN PORTE-VOIX, ELLE HURLE :
— SORS DE LÀ, JE T'AI VU !

GRIS SUR NOIR ET TOUT PENAUD,
IL ÉMERGE DE L'OMBRE.
- T'ES VRAIMENT PAS MALIN COMME LOUP!
LANCE NOTRE COQUETTE.
- MAIS J'ÉTAIS À VINGT PAS AU FOND DE LA CAVERNE!
OBJECTE-T-IL.
- TES YEUX BRILLAIENT DANS LE NOIR. J'AI VU LA MÉCHANTE
LUEUR GOULUE DE TON MÉCHANT REGARD.

FRONÇANT LE SOURCIL, LE LOUP DIT CES PAROLES :
- MAIS QUI DIABLE ES-TU, TOI ?
- JE SUIS LE PETIT CHAPERON ROUGE, TU SAIS BIEN...
- NON, JE SAIS PAS.
- LE PETIT CHAPERON ROUGE : TOUT LE MONDE ME CONNAÎT !
- JAMAIS ENTENDU PARLER !
- MAIS SI ENFIN, SOUVIENS-TOI, JE VAIS CHEZ MÈRE-GRAND
TIRER LA CHEVILLETTE...

-ÉCOUTE, PETIT CHAT MACHIN,
TU VAS TIRER CE QUE TU VEUX CHEZ QUI TU VEUX,
MAIS MAINTENANT LAISSE - MOI FAIRE ...

... MON CACA

EN PAIX !